Un agradecimiento especial a Lucy Courtenay

A mis propias Fieras, Alfie y George

DESTINO INFANTIL Y JUVENIL, 2010
infoinfantilyjuvenil@planeta.es
www.planetadelibrosinfantilyjuvenil.com
Editado por Editorial Planeta, S. A.

© de la traducción: Macarena Salas, 2010

Título original: *Claw, The Giant Monkey*

© del texto: Working Partners Limited 2008
© de la ilustración de cubierta: David Wyatt 2008
© de las ilustraciones interiores: Orchard Books 2008
© Editorial Planeta S. A., 2010
Avda. Diagonal, 662-664, 08034 Barcelona
Primera edición: junio de 2010
Segunda impresión: octubre de 2011
ISBN: 978-84-08-09292-6
Depósito legal: B. 35.546-2011
Impreso por Liberdúplex, S. L.
Impreso en España – Printed in Spain

El papel utilizado para la impresión de este libro es cien por cien libre de
cloro y está calificado como **papel ecológico**

GARRA
EL SIMIO GIGANTE

ADAM BLADE

¿Acaso pensabas que se había acabado?

¿Creías que iba a aceptar la derrota y desaparecer?

¡No! Eso no sucederá jamás. Yo soy Malvel, el Brujo Oscuro, que infunde el terror en los corazones de los habitantes de Avantia. Todavía tengo mucho que demostrar a este miserable reino y sobre todo a un niño en particular, Tom.

El joven héroe liberó a las seis Fieras de Avantia a las que había sometido a un maleficio. Pero esta batalla no ha llegado a su fin, ni mucho menos. Vamos a ver cómo se las arregla con esta nueva Búsqueda, en la que seguramente acabará aniquilado junto con su compañera, Elena.

Las Fieras de Avantia eran buenas, pero yo las corrompí para mis propios fines. Ahora, gracias a Tom, vuelven a estar libres y a proteger el reino. Esta vez he creado unas nuevas Fieras, magistrales, cuyos corazones son despiadados y a las que no se puede liberar: el Calamar monstruoso, el Simio gigante, la Encantadora de piedras, el Hombre Serpiente, el Rey de las arañas y el León de tres cabezas. Cada una guarda un trozo de la reliquia más valiosa de Avantia, una reliquia que yo he robado: la armadura dorada que le da poderes mágicos a su legítimo propietario. Nada me detendrá. No pienso permitir que Tom recupere la armadura completa y me vuelva a vencer. ¡Esta vez no ganará!

Malvel

PRÓLOGO

El aire era caliente y húmedo. El mercader se pasó la mano por la frente y observó la espesa masa de árboles de la jungla que tenía delante. Tenían aspecto de dientes ennegrecidos y desgastados. Se veían enredaderas que colgaban como serpientes.

—¿Tenemos que entrar ahí? —preguntó el muchacho que iba con el mercader—. ¿No hay otro camino?

—Hemos viajado cientos de kilómetros para venir a buscar la fruta Guya Rubí —le recordó el mercader a su ayudante—. Éste es el único lugar de Avantia donde crece. Sólo aquí, en la Jungla Oscura.

—Pero ¿aquí no viven monstruos? Eso es lo que dice la gente —susurró el chico.

En Avantia, todo el mundo había oído hablar de los terrores de la Jungla Oscura: las criaturas que arrancaban a los hombres de la tierra y se los comían enteros; las plantas cuyos ricos aromas podían dejar a una persona totalmente fuera de control. Muy pocos se atrevían a entrar, y aún muchos menos salían con vida.

—Son sólo rumores para asustar a la gente honrada —dijo el mercader haciendo un ademán con la mano.

—¿Es verdad que la Guya Rubí tiene poderes milagrosos? —preguntó el chico.

El mercader asintió.

—Un bocado de su dulce carne roja hace que el cobarde tenga valor y el débil, fuerza —dijo—. Sólo se sirve en la mesa del rey y cuesta más que el oro. —Miró a su joven ayudante—. Pero debemos tener valor si queremos coger alguna. ¿Lo entiendes?

El chico se tragó sus miedos y asintió.

Entraron en la selva uno al lado del otro. De pronto, la luz se hizo muy débil. El suelo bajo sus pies era lodoso y olía a plantas podridas. Unos pájaros chillaron y revolotearon sobre sus cabezas. Helechos inmensos se arqueaban encima de ellos con sus hojas verdes brillantes y venenosas.

El mercader observó unas flores carnosas que colgaban de los árboles. Olían como si estuviesen demasiado maduras y fueran peligrosas. Hizo un verdadero esfuerzo para alejar de su cabeza los pensamientos sobre criaturas y olores letales. Aun así, era incapaz de quitarse la sensación de que alguien o algo los observaba.

Una rama cayó al suelo. El mercader se volvió y sacó su navaja de la funda con un rápido movimiento. Pero sólo pudo ver unas sombras.

Siguieron avanzando. Muy pronto se encontraron metidos en una acequia de aguas pestilentes. Las aguas corrosivas y espesas les llegaban a la rodilla. El mercader apretó los dientes para que le dejaran de castañetear. ¿Qué malvadas criaturas estarían nadando entre sus piernas?

Al llegar al otro lado y tocar tierra firme, quería llorar del alivio.

—Tenemos que darnos prisa —dijo.

El chico salió arrastrándose de la acequia.

—Sanguijuelas —lloriqueó—. ¡Se me han pegado a las piernas!

El mercader arrancó las sanguijuelas de los tobillos desnudos del muchacho con el filo de su navaja. Temblando, hizo lo mismo con los animales chupasangre que se le habían enganchado a sus propios brazos. La Jungla Oscura era un lugar horrible y apestoso. Una vez que encontraran lo que estaban buscando, se irían de ahí inmediatamente.

Continuaron su camino. Los rayos de luz del sol entraban en la tierra como si fueran venenosos. Los monos chillaban en las copas de los árboles. Parecía que se estaban riendo.

Por fin, entre los helechos, el mercader divisó unos árboles de hojas verdes, como de cera, con unos frutos rojos y carnosos. El corazón le dio un salto.

¡La Guya Rubí!

El mercader se acercó al primer árbol, riendo de felicidad.

—¡Vamos, muchacho! —llamó, mirando hacia atrás—. Esta fruta ya está madura y lista para recogerla. ¿Dónde te has metido?

Miró por encima del hombro. El chico había desaparecido. Intranquilo, el mercader observó todo el claro. Algo no andaba bien.

Se oyeron unas pisadas entre la maleza y después un grito. El mercader se quedó helado.

De pronto, una garra afilada salió de entre las ramas y le quitó la fruta de la mano al mercader. El hombre gritó al ver una cara peluda con los ojos inyectados en sangre detrás de las hojas verdes. Sus inmensos labios se metían hacia dentro para revelar unos dientes afilados y amarillentos.

—¡Muchacho! —balbuceó el mercader—. ¡Corre!

Entonces miró hacia el suelo de la jungla y lo que vio hizo que se le congelara la sangre. Todo lo que quedaba del chico eran unos jirones de la túnica que llevaba.

Lentamente, el mercader volvió a mirar a la Fiera. Era demasiado tarde para escapar. Pegó un alarido cuando una cola larga con una garra mortal en la punta salió de entre las ramas y lo agarró por la cintura.

Los gritos del mercader hicieron eco en el claro de la jungla. Después desapareció.

CAPÍTULO 1

EL CRUCE DEL RÍO SINUOSO

Tom llevó al caballo negro, *Tormenta*, hacia el interior, alejándose de la costa oeste. Elena iba sentada detrás, con los brazos en su cintura. *Plata*, el lobo domesticado de Elena, andaba tranquilamente a su lado. La lucha con *Zepha*, el Calamar monstruoso, había sido la más dura que habían tenido hasta entonces.

Si no hubiera sido por *Sepron*, la gran Serpiente marina protectora de las aguas de Avantia, nunca hubieran podido vencer a la Fiera malvada.

En una de las alforjas de *Tormenta* estaba el magnífico yelmo dorado con forma de cabeza de águila. Era la primera pieza que habían recuperado de la armadura dorada, que le daba poderes mágicos a su legítimo propietario. La armadura había pertenecido al Maestro de las Fieras y se la iban a dar a Tom como recompensa por completar su primera Búsqueda. Pero Malvel, el Brujo Oscuro, la había robado y había esparcido sus piezas por toda Avantia. La misión de Tom era recuperar las seis piezas. Malvel había creado seis nuevas Fieras peligrosas para proteger cada pieza. *Zepha* era la primera y vigilaba el yelmo. Tom tenía que vencer al resto de las Fieras para recuperar las otras piezas de la armadura.

Pero eso no era todo. Malvel no sólo había cogido la armadura. También había raptado a Aduro, el brujo del rey Hugo y amigo y protector de Tom y de Elena.

—Estoy preocupada por Aduro —dijo Elena.

—Por eso tenemos que encontrarlo y vencer a esa nueva Fiera, *Garra*, dondequiera que esté —dijo Tom—. Muy pronto recuperaremos todas las piezas de la armadura y, una vez que completemos nuestra Búsqueda, iremos a rescatar a Aduro. Él mismo nos dijo que no había otra solución.

Plata ladró de emoción y *Tormenta* movió su fina cabeza arriba y abajo.

—Puede que Malvel tenga a Aduro —dijo Tom—, pero nosotros tenemos el mapa mágico de Aduro. Vamos a ver si nos dice dónde podemos encontrar a *Garra*.

Desmontaron y Tom sacó un pergamino enrollado de las alforjas. Al desenrollarlo, el mapa cobró vida. Las montañas de Avantia se elevaron unos dos centímetros y unas olas diminutas rompían contra las costas del mapa. Tom y Elena sonrieron. Aunque ya habían visto muchas veces el mapa, siempre se quedaban maravillados al desplegarlo.

Lentamente, la imagen que salía en el mapa empezó a moverse, revelando una nueva zona hacia el sur. El paisaje era más verde. Una línea roja brillante apareció en la costa oeste de Avantia y bajaba serpenteando, más allá del Río Sinuoso, hasta una pequeña zona de color verde oscuro en el sureste.

Elena puso el dedo en ese lugar del mapa y apartó la mano sorprendida. Tenía el dedo caliente y mojado.

—Creo que sé hacia dónde nos tenemos que dirigir —dijo Tom con el ceño fruncido—. En el sureste hay un lugar que se llama la Jungla Oscura. Los habitantes de Avantia no suelen ir allí.

—¿Por qué no? —preguntó Elena.

—La Jungla Oscura un sitio muy caluroso y peligroso —dijo Tom—. En ella viven extrañas criaturas. Hay plantas venenosas y arañas del tamaño de tu cabeza. He oído que si el calor y los insectos no te matan, las criaturas que viven ahí lo harán.

Elena tembló.

Tom estudió el mapa con atención. Algo se movía en las profundidades de la Jungla Oscura. Brilló y después volvió a desaparecer.

—Mira —dijo Tom, mostrándole el mapa a Elena—. ¿Ves ese punto dorado? Fíjate bien.

—¡Es la cota de malla! —dijo Elena emocionada—. ¡La siguiente pieza de la armadura!

Tom enrolló el mapa.

—Vamos a la Jungla Oscura —dijo—. No hay tiempo que perder.

Tom, Elena, *Tormenta* y *Plata* se encaminaron hacia el Río Sinuoso. Con el sol a sus espaldas y una magnífica vista de Avantia a su alrededor, era fácil olvidarse de los peligros de su Búsqueda.

Siguieron el camino hasta un valle verde. Tom volvió a sacar el mapa y localizó el lugar en donde estaban, siguiendo la línea roja que llevaba a la Jungla Oscura.

La primera vez que había consultado el mapa, la cota de malla dorada estaba cerca de la boca de la jungla. Ahora se había adentrado más entre los árboles.

¿La habría movido Malvel?

El corazón le latía con fuerza.

«¿Sabrá que vamos hacia allí?»

Siguieron avanzando. El camino los llevó hasta el centro del valle. Muy pronto, Tom y Elena divisaron la corriente brillante del Río Sinuoso. El curso del río se retorcía y giraba como si fuera una serpiente. La luz del atardecer le daba al agua un brillo dorado.

El camino se cortaba al llegar al río y no se veía un puente por ningún lado. El agua rugía al pasar salvajemente y formaba espuma. Parecía peligroso.

Con mucho cuidado, Tom cogió el yelmo dorado de la alforja. El casco brillaba bajo la luz del sol, como si estuviera hecho de fuego. Con el corazón latiéndole con fuerza, Tom levantó el yelmo y se lo puso con mucho cuidado en la cabeza.

Inmediatamente, empezó a ver mucho mejor. Podía distinguir todos los brotes de hierba que había al otro lado del río. Al mirar hacia el cauce del río, vio que se extendía a lo largo de kilómetros y kilómetros. Veía todo con una claridad increíble.

—¿Ves algo? —preguntó Elena.

—¡Lo veo todo! —exclamó Tom, entusiasmado—. ¡Es increíble! Pero no consigo ver ningún puente.

—El río gira y se mete entre esos árboles

—dijo Elena—. A lo mejor el puente está escondido y no se ve a primera vista.

A medida que avanzaban por el curso del río, Tom empezó a preocuparse. Se estaban quedando sin luz y tenían que cruzar al otro lado antes de que se hiciera de noche.

Fueron hasta el siguiente recodo del río. *Plata* ladró.

—¡Ahí! —gritó Elena.

Por fin, un puente.

Pero parecía muy viejo. Las maderas estaban desgastadas, llenas de astillas y rotas por varias partes. Faltaban algunos tablones, como si fueran los dientes de la boca de una bruja vieja. El agua se arremolinaba por debajo, formando una espuma blanca y amenazante.

—Si intentamos cruzar todos a la vez, no va a aguantar nuestro peso —dijo Tom, desmontando de *Tormenta*—. Pero si vamos de uno en uno, a lo mejor lo conseguimos. Elena, pasa tú primero con *Plata*.

Plata dio tres zancadas y llegó al otro lado. El puente crujió y se movió, pero se mantuvo de una pieza.

Tom le hizo un gesto de aprobación a Elena cuando puso un pie sobre el puente. Una de las tablas se partió y cayó al agua, pero Elena dio un salto y consiguió llegar al otro lado.

—Vamos, *Tormenta* —dijo Tom, intentando parecer calmado—. Tú eres el siguiente.

Pero al caballo le daba miedo la corriente y se negó a moverse.

Tom se subió al puente y comprobó que las tablas podían aguantar su peso. La madera retorcida crujió bajo sus pies, pero no se rompió.

—Vamos, muchacho —dijo Tom suavemente, acercando la mano.

El caballo dio un paso hacia adelante. Las tablas de madera crujieron en señal de protesta y el puente se movió. *Tormenta* puso ojos de terror mientras Tom intentaba calmarlo y lo animaba a seguir.

Una tabla podrida se partió justo cuando *Tormenta* levantó el casco que tenía encima. Entonces toda la sección del puente sobre la que había estado se rompió y cayó a la salvaje corriente.

—Tenemos que quitar peso —le gritó

Tom a Elena por encima del hombro. Lentamente, se puso de rodillas para repartir el peso de su cuerpo. Entonces se quitó el casco, el escudo y la espada.

—¡Toma!

El puente volvió a crujir cuando Tom le tiró sus cosas a Elena. Ahora no tenía la magia para protegerlo. Sólo su valor.

Tom se echó hacia adelante pero, de pronto, las maderas se rompieron. Miró

horrorizado cómo el puente empezaba a desmoronarse.

—¡Vamos, *Tormenta*! —gritó, acercándose como podía a la orilla.

El caballo echó la cabeza hacia atrás y relinchó de miedo mientras el puente se desplomaba bajo su peso.

—¡No! —gritó Elena desde la orilla.

Pero era demasiado tarde. ¡Tom y *Tormenta* cayeron en las mortales aguas!

CAPÍTULO 2

LUCHA EN EL AGUA

Tom se hundió en las aguas heladas del río y se vio arrastrado por la fuerte corriente. Notó que *Tormenta* estaba cerca, en estado de pánico total, moviendo las patas sin parar. Tom se lanzó hacia adelante y consiguió coger las riendas del caballo.

Apenas podía ver nada y se estaba ahogando, pero consiguió salir a la superficie.

—¡Tírame la espada! —le gritó a Elena.

La pesada espada salió volando por los aires y cayó en el agua, cerca de él. Haciendo un gran esfuerzo, Tom se estiró y la cogió antes de que se hundiera y se perdiera de vista. Le quemaban los pulmones al clavar la espada en la orilla con todas sus fuerzas y agarrarse a ella. La fuerza de la corriente y el peso de

Tormenta lo arrastraban río abajo, pero Tom consiguió quedarse agarrado a la espada, cuyo filo se mantuvo firme en la tierra.

—¡Tom! —gritó Elena, corriendo hasta la orilla y estirando la mano.

Tom dio varias patadas con fuerza y notó que por fin tocaba tierra firme. Se le resbalaban los pies en el barro y el agua tiraba de él. Soltó un gruñido al hacer un último esfuerzo y conseguir coger la mano que le ofrecía Elena. Cuando por fin pudo subir a la orilla, se dejó caer sobre la hierba, con la espada en una mano y las empapadas riendas de cuero de *Tormenta* en la otra. Sin embargo, el caballo seguía luchando en la corriente salvaje, moviendo los cascos sin parar.

—Ayúdame a tirar, Elena —gritó Tom.

Plata corría de un lado a otro, ladrando y aullando sin parar, mientras Elena le ponía los brazos alrededor de la cintura a Tom. Entre los dos intentaron arrastrar a *Tormenta* hasta la orilla, pero no lo consiguieron.

—¡Vamos, *Tormenta*! —le apremió Tom. A Tom le temblaban las piernas del esfuerzo. Se puso de rodillas y miró al caballo.

Tormenta luchaba contra la corriente muerto de miedo, con los ojos muy abiertos. Empezaba a perder la batalla.

—Tranquilo —murmuró Tom, casi como si estuviera hablando consigo mismo—. Cálmate. Tranquilo...

Repitió esas palabras una y otra vez, chascando la lengua, y poco a poco la mirada aterrorizada de *Tormenta* se volvió a concentrar en él.

Entonces, paso a paso, el caballo salió del agua por sí solo. Por fin, con un último esfuerzo, consiguió subir a la orilla.

Tom lo abrazó.

—Buen trabajo, *Tormenta* —dijo, en-
terrando la cara en el cuello mojado del
caballo. Notó que sonreía—. Lo conseguiste, muchacho.

Elena se apoyó en el cuello del caballo
y lo abrazó con fuerza.

—Ay, *Tormenta* —dijo—. Pensé que te
íbamos a perder.

Tormenta resopló y relinchó hasta conseguir calmarse. Apoyó la nariz en Tom
mientras Elena fue a coger un poco de
hierba para secarle el lomo. Tenían que

35

secarlo y conseguir que entrara en calor cuanto antes.

Mientras Tom le quitaba la montura y lo frotaba con la hierba, Elena encendió una hoguera. Después, Tom tapó al agotado caballo con una manta. *Tormenta* se movía de lado a lado, como si estuviera demasiado cansado como para permanecer de pie mucho más tiempo. Entonces, suavemente, se dejó caer al suelo cerca del fuego.

Tom se quitó la ropa mojada y se envolvió en otra manta. Su ropa se secaría durante la noche, con el calor del fuego. Mientras tanto, *Plata* le llevó a Elena un conejo que había cazado en la ribera del río.

—¿El festín es de su agrado? —bromeó Tom, ofreciéndole a Elena un poco de pan y queso, mientras el conejo se asaba en las brasas.

Elena le pegó un mordisco al pan.

—No está mal —dijo entre bocado y bocado, sonriendo.

Más tarde, Tom y Elena se comieron el conejo junto al fuego chispeante. El sonido de la corriente de agua ahora les resultaba reconfortante.

—Espero que no tengamos más sorpresas con el agua durante un buen tiempo —suspiró Elena.

Tom se tumbó y miró al cielo oscuro. Había un montón de estrellas brillantes y la luna casi estaba llena. Empezó a pensar en su padre, Taladón, que en su día había llevado a cabo su propia Búsqueda de Fieras. Se preguntó dónde estaría ahora.

Entonces se dio cuenta de que, hasta ese momento, Elena, *Tormenta* y *Plata* eran lo más parecido a una familia que había tenido nunca. No quería volver a arriesgarse a perderlos.

CAPÍTULO 3

LA JUNGLA OSCURA

La mañana siguiente amaneció clara y tranquila. Para alivio de Tom, *Tormenta* parecía haberse recuperado y descansado de su aventura en el agua. Tom y Elena desayunaron pescado fresco que la chica había capturado en las aguas del Río Sinuoso. *Plata* salió trotando mientras ellos comían y volvió con otro conejo para sí mismo.

—Es hora de irnos —dijo Tom por fin.

Elena apagó el fuego y guardó sus cosas. Tom sabía que estaba pensando en las Fieras con las que estaban a punto de enfrentarse. En realidad, él estaba pensando en lo mismo. ¿Qué tipo de criatura sería *Garra*?

Pronto encontraron un camino que se alejaba del Río Sinuoso. Al tomarlo, las paredes del valle se hicieron más empinadas, y la vegetación, más espesa. *Plata* corría delante, mientras las nubes se perseguían unas a otras en el cielo azul.

Al cabo de un rato, el camino llegó a una zona muy rocosa y con grandes socavones. Estaba claro que por ahí pasaba muy poca gente. La idea hizo que Tom se sintiera incómodo. Si los rumores sobre la Jungla Oscura eran ciertos, ¿qué probabilidad tendrían de vencer a *Garra* y encontrar la cota de malla dorada?

El camino rocoso empezó a subir. Jadeando, *Tormenta* intentó ascender por la cuesta empinada, con *Plata* trotando silenciosamente a su lado. El sol les daba con fuerza en la espalda a Tom y a Elena. El aire era muy denso.

El camino terminó abruptamente al llegar a la cima de la colina. Ante ellos había un mar de árboles verdes que se extendía hasta el horizonte.

—La Jungla Oscura —dijo Elena admirada—. Es más grande de lo que me había imaginado.

La jungla era vasta. Por encima de los árboles, el aire hervía del calor. La única manera de llegar hasta el límite de los árboles era atravesando una franja espesa de matas. Los mosquitos zumbaban en el aire. *Tormenta* movía las orejas mientras los insectos le intentaban picar donde podían.

Tom chascaba la lengua para que *Tormenta* siguiera avanzando. El corazón le latía con fuerza y tenía una sensación entre miedo y emoción. Mientras iba dando manotazos en el aire para apartar los insectos, bajaron hasta el límite de la jungla.

Muy pronto se encontraron delante de una densa pared de árboles. Unos chillidos extraños se oían en lo alto de sus copas. Todo estaba quieto, a la expectativa.

—No me gusta nada esto —murmuró Elena.

Tom notaba que *Tormenta* se ponía en tensión. Movió el escudo que llevaba en el brazo y se lo acercó más al pecho. *Plata* se movía incómodo, con la cola agachada y las orejas pegadas a la cabeza. Era imposible ignorar la sensación de amenaza que rodeaba a la Jungla Oscura.

Tom sacó el mapa de Aduro y lo estudió una vez más. El punto dorado de la cota de malla se había vuelto a mover.

Ahora parecía que estaba muy cerca de donde se encontraban. Tom entrecerró los ojos para mirar entre la vegetación.

—No nos queda otro remedio, Elena —dijo, enrollando el mapa—. Tenemos que entrar. Tenemos que vencer a todas las Fieras y recuperar todas las piezas de la armadura dorada antes de rescatar a Aduro.

Tom volvió a pensar en el brujo bueno. Tragó en seco.

—Tenemos que rescatarle —dijo firmemente y tiró de *Tormenta* para que avanzara.

Los cuatro viajeros dieron unos pasos y se adentraron en la jungla. Inmediatamente, Tom notó el intenso calor. Le resultaba difícil respirar y notaba una presión en los pulmones. *Tormenta* movió la cabeza nerviosamente; *Plata* gruñía suavemente. Había plantas colgando por todas partes. El aire era muy denso

y estaba lleno de olores intensos y extraños.

—Nunca había visto plantas como éstas —dijo Elena, maravillada. Estiró la mano para tocar una flor que parecía una trompeta.

Inmediatamente, la flor se cerró y, antes de que Elena pudiera reaccionar, unas ramas como serpientes se le enrollaron en el brazo.

—¡Tom! —gritó.

Tom sacó la espada y cortó las ramas.

—No toques nada —le advirtió mientras miraba a su alrededor.

Casi esperaba ver al mismo Malvel, riéndose desde las copas de los árboles.

El aire se hizo todavía más denso y más oscuro a medida que avanzaban, y el suelo estaba cada vez más mojado. Muy pronto, *Tormenta* se metió en una acequia de aguas oscuras. Avanzaba cautelosamente, arrastrando los cascos por el barro y abriendo los ollares al percibir unos olores tan poco familiares.

—No pasa nada —le tranquilizó Tom, acariciándole las crines.

Cuando ya había cruzado la mitad de la acequia, Tom desmontó. No quería que *Tormenta* se hundiera en la tierra. Elena hizo lo mismo y avanzó hasta donde estaba *Plata*.

El agua estaba desagradablemente caliente y les tiraba de las piernas. Tom apretó los dientes, cogió las riendas de *Tormenta* y tiró del caballo con delicade-

za hacia adelante. Miraba hacia todos los lados, buscando algún rastro de la Fiera.

Elena los esperaba al otro lado de la ciénaga. Con *Plata* a su lado, se quitaba con esmero las sanguijuelas que se habían adherido a su piel. Después hizo lo mismo con Tom y con *Tormenta*.

Siguieron avanzando, mo-

jados y cansados. Por fin salieron a un espacio abierto donde entraba el sol.

Un grupo de monos chillones se empezó a columpiar en unas lianas. *Plata* ladró furiosamente y *Tormenta* se echó hacia atrás del susto.

Tom y Elena se echaron al suelo de la selva, muertos de miedo.

—¡Quédate en el suelo, Elena! —dijo Tom, sacando la espada.

Los monos chillaron, se subieron a un árbol y empezaron a limpiarse unos a otros. Con mucho cuidado, Elena y Tom se pusieron en pie.

—Es la primera y la última vez que me asustan unos monos —dijo Elena con una risa nerviosa.

Continuaron su camino. Tom usaba la espada para abrirse paso entre la maleza verde.

De pronto, Elena se paró.

—Mira —dijo, señalando unas marcas en los troncos de los árboles.

—Aquí ha debido de pasar algo horrible —contestó Tom muy despacio, inspeccionando unos restos del tronco de un árbol que estaban en el suelo. Las ramas rotas cubrían todo el suelo. *Tormenta* relinchó ansiosamente.

Elena cogió un trozo de tela andrajoso.

—Es una tira de lino —dijo, pasándosela a la otra mano.

Había más trozos de tela por todo el claro. Tom y Elena se miraron. A pesar de haberse enfrentado a siete Fieras, la destrucción que tenían delante les inquietaba. Y los restos de ropa sugerían que había pasado algo incluso más siniestro de lo que habían vivido hasta entonces.

Tom cogió un trozo de tela.

—¿Quién ha podido hacer algo así? —dijo.

En ese mismo momento, oyeron el chasquido de unas ramas detrás de ellos. Tom y Elena se dieron la vuelta justo cuando una garra más grande que sus dos cabezas juntas les pasaba rozando desde lo alto de los árboles. La garra estaba unida a una cola larga y peluda.

Tom empujó a Elena para que no le diera y los dos se tiraron al suelo.

A Tom se le quedó el corazón helado.

Era la Fiera. Y ahora la Fiera sabía que ellos estaban allí.

CAPÍTULO 4

GARRA AL ATAQUE

Tom miró las copas de los árboles. Era casi imposible ver nada con el brillo del sol. Las hojas se movían y se rozaban unas con otras. La Jungla Oscura sonaba como si se estuviera riendo de sus visitantes.

Un olor a carne vieja y a sudor bajaba de las ramas; era incluso más fuerte que los aromas nauseabundos de las flores de la jungla.

Tom se volvió por si la veía, pero era imposible. La Fiera estaba demasiado arriba.

—Si tan sólo consiguiera ver algo —dijo frustrado. ¡Entonces recordó el yelmo dorado!

Rápidamente lo sacó de las alforjas de *Tormenta* y se lo puso. Una vez más miró hacia las copas de los árboles, esta vez entre las rendijas de la visera del casco. Ahora podía ver todos los colores verdes y vivos en los puntos más altos de la jungla.

Entonces vio a la Fiera. No podía dar crédito a sus ojos.

Garra era un mono inmenso. Su pecho era tan ancho como *Tormenta* de largo y sus brazos eran más gruesos que algunos de los troncos que tenían alrededor. Estaba sentado entre las ramas. Era una criatura espantosa con una garra mortal al final de su cola serpentina. Sus enormes brazos peludos y sus patas terminaban en unas peligrosas zarpas curvas. Tenía la cara cubierta de un pelaje mate, pero no tenía pelo en su hocico aplastado. De su boca colgaban unas babas que le salían entre los dientes. Tenía los ojos amarillos clavados directamente en Tom.

Tom sabía que tenían que salir corriendo. No les quedaba otra opción.

—¡Súbete, Elena! —gritó Tom, subiéndose al lomo de *Tormenta* y volviendo a meter el yelmo en las alforjas para que estuviera a salvo.

Elena se subió a la silla detrás de él y se intentó agarrar. Tom hizo que *Tormenta* diera una vuelta tan brusca que el caballo se tuvo que echar para atrás y casi se cae.

Antes de que *Tormenta* se recuperara y los pudiera llevar a un sitio seguro, una lluvia de ramas, lianas y hojas empezó a caer desde las copas de los árboles, haciendo que Tom y Elena se cayeran de la silla. *Garra* lanzó un grito de triunfo.

Tom intentó ponerse en pie, pero el peso de las ramas que le habían caído encima como si fueran una inmensa red se lo impidió. *Tormenta* relinchó aterrado y *Plata* gruñó.

—¡No me puedo mover! —gritó Elena.

Cuanto más pugnaban por salir, más

les apretaban las enredaderas que les rodeaban. La peste que soltaba la Fiera estaba ahora por todas partes. Tom tenía los brazos aplastados por las ramas y no podía alcanzar la espada.

Garra volvió a gritar. Entonces, ante la mirada horrorizada de Tom, la Fiera metió la cola entre las ramas y levantó a Elena por los aires, rompiendo con facilidad las enredaderas.

—¡Tom! —gritó Elena.

—¡No! —exclamó Tom. Intentó liberarse pero era imposible, no podía hacer nada.

Elena pataleaba y gritaba mientras la Fiera la subía entre los árboles. Movía los brazos desesperadamente y golpeaba inútilmente a su captor.

De pronto, se hizo un silencio espantoso. ¿Dónde se la había llevado la Fiera?

Con un gruñido, *Plata* consiguió por fin romper las ramas con los dientes y fue a ayudar a Tom a salir.

—¡Eso es, muchacho! —gritó Tom, intentando sacar los brazos—. ¡Ya casi lo has conseguido!

Por fin podía mover los brazos. Una vez liberado, sacó la espada y la blandió con rabia en el aire.

—Mientras corra la sangre por mis venas —prometió—, ¡salvaré a mi amiga!

Rápidamente, cortó las ramas que se habían aferrado a las patas de *Tormenta*. El caballo esperó pacientemente hasta que Tom consiguió liberarlo del todo.

Garra había dejado un rastro de destrucción a su paso, con hojas y ramas rotas por el suelo de la jungla, con lo que le resultaría fácil seguirlo. Pero si Tom quería salvar a Elena, tendría que acercarse a la Fiera con mucho cuidado.

Plata olisqueó el aire y, al percibir el olor de su dueña, echó la cabeza hacia atrás y empezó a aullar.

—¡No! —gritó Tom corriendo hacia el lobo.

Le acarició el espeso pelaje e hizo que se callara. Lo último que necesitaba Tom en esos momentos era que *Plata* hiciera ruido.

Pero era demasiado tarde. Tom oyó justo detrás de él el crujir delatador de unas hojas. Miró por encima del hombro, protegiendo al mismo tiempo a *Plata* con el brazo.

La sombra inmensa de la Fiera se extendió por todo el claro. *Garra* había regresado y volvía a estar en lo alto de los árboles. No había señales de Elena. ¿Dónde estaría?

Tom se puso en tensión al ver que una vez más la cola con la garra volvía a bajar entre las ramas. Se apartó del camino, pero la garra apartó con fuerza a *Plata* y a *Tormenta* hacia un lado y Tom los perdió de vista. Esperó que estuvieran bien y se concentró en las ramas, esperando a que la cola volviera a aparecer.

De pronto se lanzó hacia él.

Tom se agachó, intentando desesperadamente esquivar la peligrosa cola. La Fiera se quedó en los árboles. Lo único que podía ver Tom era su cola.

Garra volvió a moverla. Esta vez, Tom se acercó y se agarró a ella con fuerza.

—¡Baja, cobarde! —gritó Tom, tirando de la Fiera para intentar conseguir que bajara hasta el suelo.

El gran simio se limitó a levantar la cola, haciendo que Tom saliera volando por los aires.

Tom se agarró con todas sus fuerzas a la cola de *Garra*, que daba latigazos sin parar. La Fiera rugía y saltaba de un árbol a otro. Tom se balanceaba por debajo, con las ramas rasgándole la ropa. Se quedó sin aliento cuando la Fiera lo lanzó contra unos troncos y lo arrastró entre cortinas de enredaderas que le arañaban la cara.

Éste era el final. No había manera de escaparse.

¡Nunca conseguiría salir con vida de la Jungla Oscura!

CAPÍTULO 5

LA CAÍDA

Tom no podía seguir agarrado durante mucho más tiempo. Su ropa estaba hecha jirones. Tenía los brazos y las piernas llenos de magulladuras. No le quedaba otra opción: tenía que soltarse.

Intentando calcular lo mejor que pudo, Tom soltó la cola de la Fiera y cayó entre el mar de enredaderas, dándose golpes contra las ramas al precipitarse. Intentó sujetarse al árbol que tenía más cerca y con los dedos consiguió agarrar una rama y quedarse ahí colgado; sin aliento, pero a salvo.

Por encima de él estaba *Garra*, dándose golpes en el pecho y rugiendo hacia el cielo. Las copas de los árboles se sacudieron.

Tom tenía las manos tan entumecidas y llenas de arañazos que casi se suelta de la rama, pero consiguió aferrarse con las piernas al tronco del árbol. Por primera vez vio a *Garra* por completo, cuando la Fiera empezó a columpiarse de una rama a otra por encima de él. Los extraños desplazamientos del punto dorado que había observado antes en el mapa de Aduro de pronto tenían sentido.

Garra llevaba la cota de malla colgada del cuello.

Tom se quedó impresionado al verla. La pieza de la armadura brillaba mágicamente. Los eslabones parecían demasiado finos como para ser de metal y a Tom le pareció que estaba hecha de hilos de seda dorada que se entrelazaban formando un diseño que brillaba bajo la luz.

De pronto, *Garra* se internó entre los árboles para volver a lanzarse contra Tom. La Fiera abrió los labios, mostrando sus espantosos colmillos. Tom cogió la espada y luchó con todas sus fuerzas, pero le resultaba prácticamente imposible mantenerse agarrado a la rama y blandir la espada a la vez. Él no estaba acostumbrado a estar encaramado a un árbol, con lo que *Garra* tenía una gran ventaja.

La cola letal volvió a salir disparada hacia Tom. Esta vez le arrancó la espada de la mano. Tom observaba horrorizado cómo su espada caía dando vueltas hacia el suelo y se perdía de vista. Ahora estaba totalmente desarmado.

Se arriesgó a mirar hacia abajo, hacia el suelo de la jungla. Estaba demasiado alto, pero el tronco donde se encontraba en ese momento era un lugar peligroso. Se echó el escudo hacia atrás, intentando sujetarse mejor a la rama.

«Piensa, Tom», se dijo con firmeza.

Entonces se le ocurrió una idea.

En su escudo tenía la pluma que le había dado *Arcta*, el Gigante de las montañas. Le protegía de las grandes alturas.

Se quitó el escudo de la espalda y lo sujetó por encima de la cabeza.

Entonces tomó aire con fuerza y saltó.

Las enredaderas y las ramas silbaban a su alrededor, pero Tom notaba que el poder del escudo le protegía. ¡La caída iba haciéndose más lenta!

Aun así, se pegó un buen golpe al llegar a tierra y se quedó sin respiración. En poco tiempo quedó enterrado entre la vegetación. Para su alivio, su espada estaba cerca. Estiró la mano y la cogió.

Garra rugió una vez más y el sonido retumbó por toda la jungla. Entonces se hizo el silencio. Parecía como si la Fiera hubiera dado a Tom por muerto.

El muchacho se quedó tan quieto como pudo, con el peso tranquilizador de la espada en la mano. Lo primero en lo que pensó fue en *Tormenta* y en *Plata*. No los había visto desde que la Fiera los había empujado con un golpe de su cola. ¿Habrían salido con vida? A Tom le empezó a latir el corazón con fuerza mientras miraba a su alrededor.

Entonces oyó un relincho de *Tormenta*. El suelo que tenía debajo empezó a temblar cuando el caballo apareció galopando, con *Plata* pisándole los talones.

Tormenta le olisqueó y relinchó.

—No hagas ruido —susurró Tom, estirando la mano para acariciarle el hocico—. Estoy bien.

Miró entre las ramas que tenía por encima de la cabeza. No se veía nada en las copas de los árboles. Tom se puso en pie. No podía creer que no se hubiera roto ningún hueso.

Miró su espada y, en silencio, dio las gracias a las grandes Fieras de Avantia por haberle dado aquellos amuletos que le daban poder y que ahora estaban incrustados en la madera de su escudo: la escama del dragón *Ferno* le protegía del fuego; el diente de *Sepron*, de las corrientes de agua, y la campana de *Nanook*, del frío extremo. El trozo de herradura de *Tagus* le daba velocidad, y el espolón afilado de *Epos* le curaba las heridas. Y, por supuesto, la pluma de *Arcta*, que le protegía de las grandes alturas y le acababa de salvar la vida.

Conseguir salir de entre las ramas del suelo de la jungla le resultó casi tan difícil como liberarse de las enredaderas. Los helechos de la Jungla Oscura eran gruesos y fuertes y le rodeaban.

De pronto, Tom sintió algo que le hacía cosquillas en la pierna. Miró hacia abajo.

Era una serpiente que se le estaba enrollando en la rodilla. Su piel verde y marrón brillaba bajo la débil luz de la selva. De vez en cuando sacaba una lengua fina y negra, la movía y la volvía a esconder. Tenía sus ojos amarillos clavados en Tom.

Sin apartar la vista de la serpiente, Tom la levantó por los aires con la punta de su espada y la cortó en dos. Los dos trozos de la serpiente cayeron al suelo y empezaron a retorcerse. Tom suspiró aliviado.

Plata pegó el hocico al suelo. Levantó las orejas y lanzó un pequeño aullido. ¡Había vuelto a percibir el rastro de Elena!

Tom se subió de un salto a la silla de *Tormenta*. Era la hora de la batalla.

«¡Ahí vamos, Elena! —pensó—. ¡Aguanta!»

Plata salió disparado siguiendo el rastro. Las ramas rotas colgaban de los árboles por encima de ellos mientras Tom y *Tormenta* galopaban por la jungla detrás del lobo. La Fiera se había abierto paso entre las ramas y había dejado un rastro fácil de seguir.

Tropezándose y resbalando, pasaron al lado de troncos que eran tan anchos como diez hombres. *Tormenta* avanzaba entre los árboles, por debajo de las enredaderas, realizando cambios bruscos de dirección para seguir al lobo. Tom iba alerta a cualquier señal de peligro y observaba los árboles empuñando su espada con fuerza.

No tardaron mucho en llegar a un claro entre la vegetación. *Plata* salió disparado hacia adelante y *Tormenta* echó la cabeza hacia atrás cuando Tom le apretó con los talones en los costados para que galopara más rápido.

Pero había algo extraño en el camino que tenían delante. Parecía que la tierra se cortaba de pronto. *Tormenta* se puso en tensión mientras

Tom tiraba desesperadamente de las riendas para detenerlo.

—¡*Plata!* —gritó Tom—. ¡Cuidado!

El lobo giró el cuerpo rápidamente, pero era demasiado tarde. Tom miró horrorizado cómo *Plata* derrapaba hasta el borde ¡y se perdía de vista!

CAPÍTULO 6

EN EL INTERIOR DEL VOLCÁN

Tom desmontó y corrió hacia el borde del precipicio. Delante de él había un enorme agujero en el suelo. Tom notó que le temblaba todo el cuerpo. Había visto algo parecido antes, cuando liberó a *Epos*, el Pájaro en llamas, del maleficio de Malvel. La diferencia era que en aquella ocasión salía lava y humo y en ésta se veía mucha vegetación.

Era el cráter de un inmenso volcán extinguido.

Tom recordó la horripilante batalla para liberar a *Epos*. Había estado a punto de caerse en la lava hirviendo al acercarse demasiado al borde del volcán, donde la tierra estaba suelta. Esta vez se arrodilló y se arrastró hasta el borde.

Abajo, en la distancia, el corazón del volcán estaba oscuro como la noche. Unos árboles muy altos crecían hacia el cielo azul, buscando desesperadamente la luz. Era casi imposible ver el suelo del cráter entre las hojas de las copas de los árboles.

Era imposible que *Plata* hubiera sobrevivido a la caída.

Pero de pronto Tom vio el pelaje plateado del lobo. El corazón le empezó a latir de alegría al verlo, acurrucado por debajo de él, sobre un risco apenas visible que había justo debajo del borde del cráter. De alguna manera, el lobo había conseguido llegar allí y no caerse.

Plata se incorporó sobre sus patas traseras y le olisqueó la mano a Tom, agradecido, cuando éste intentó llegar a él. El risco estaba situado en un ángulo extraño, metido por debajo del borde donde estaba tumbado Tom. Tom estiró el brazo y hundió los dedos en el pelaje espeso del lobo. Después tiró de él con todas sus fuerzas hasta conseguir ponerlo a salvo.

—Buen chico —murmuró Tom, acariciándole la cabeza al lobo. Se sentía tremendamente aliviado.

El lobo, de pronto, se separó de Tom. Corrió hasta el borde del precipicio y empezó a olisquear el aire, gruñendo suavemente.

—¿Qué pasa? —preguntó Tom, con el corazón latiendo de esperanza.

Plata aulló y se acercó más al cráter, quedándose justo en el límite. Unas piedras se desprendieron y cayeron al fondo, perdiéndose de vista.

El yelmo dorado podía ayudar a Tom a ver lo que *Plata* había olido. Corrió hasta *Tormenta* y volvió a sacar el casco de las alforjas. Después se lo puso en la cabeza y miró hacia el fondo de la hondonada.

Podía ver claramente todas las hojas, unos escarabajos de colores brillantes y unas serpientes que dormían. Volvió a otear el fondo. Entonces, por una rendija entre las copas de los árboles, vio a Elena en el mismo corazón del cráter.

Estaba sentada en el suelo, con la cabeza apoyada en los brazos. A su alrededor había montones de huesos blancos y brillantes. Era la guarida de *Garra*, el lugar adonde llevaba a sus víctimas. Elena parecía ilesa, pero estaba atrapada en el fondo del volcán.

A Tom le daba vueltas la cabeza. Para conseguir la cota de malla, tenía que vencer a *Garra*. Por otro lado, para rescatar a Aduro, tenía que recuperar todas las piezas de la armadura. Pero antes de todo eso, tenía que salvar a Elena.

«¡Puedes hacerlo! —se dijo a sí mismo—. Cada cosa a su tiempo.»

Observó a su alrededor por si veía a la Fiera. No quería que *Garra* supiera que había encontrado a Elena. Entonces dio

un silbido largo y bajo para llamar la atención de su amiga. La Fiera seguramente no le oiría si hacía eso.

Elena miró hacia arriba. Las espesas copas de los árboles le tapaban la vista y no podía ver a Tom. Tom volvió a silbar. Elena se levantó y avanzó hasta un claro. Al verle se le dibujó una sonrisa de alivio en la cara.

Tom se llevó un dedo a los labios para que no hiciera ruido. Podía oler la peste que despedía *Garra*; la Fiera no estaba lejos. Las sombras de unas ramas altas bailaban en el suelo, despistando a Tom. Se dio la vuelta y miró las sombras. ¿Dónde estaría el simio gigante?

Por fin lo vio. Arriba, en las copas de los árboles, por encima de su cabeza, Tom vio la larga cola de *Garra* que se mecía perezosamente de delante hacia atrás. Parecía como si la criatura estuviera dormida. La cota de malla brillaba y tintineaba alrededor de su cuello. El sonido le recordaba a Tom a unas campanillas. A Tom le empezó a latir el corazón con fuerza. La armadura que brillaba suavemente bajo la luz del sol parecía estar llamándole. Tom dudó y volvió a echar un vistazo al cráter.

«Lo primero es ayudar a Elena», pensó.

Observó las paredes verticales del cráter. No había manera de subir ni bajar y ninguna de las enredaderas que tenía cerca llegaba hasta el fondo.

No tenía ni idea de cómo iba a sacar a Elena de ahí.

Un silbido hizo que mirara hacia abajo. Elena le hacía gestos. Por fin, Tom entendió lo que quería: ¡su arco y sus flechas!

Tom empezó a buscar por el rastro de destrucción que había dejado *Garra* al arrastrar a Elena hasta su guarida. *Plata* observaba la boca del cráter mientras que *Tormenta* pastaba tranquilamente.

Por fin, Tom vio la familiar aljaba de cuero que llevaba las flechas de Elena. A su lado estaba el arco. No se habían caído al cráter, pero estaban demasiado cerca del margen.

Tom se estiró para cogerla, pero estaba demasiado lejos. No podía acercarse más al borde porque se caería y todo estaría perdido. Vio desesperado cómo una brisa de aire arrastraba la aljaba hacia el abismo. ¡No podía perder ni un minuto más!

Tom se agarró a la raíz de un árbol que tenía cerca y se estiró todo lo que pudo hacia las armas. Consiguió tocar la aljaba con la punta de los dedos, pero no fue capaz de cogerla. Soltó un poco la mano con la que se agarraba al árbol y clavó los pies en la tierra mojada. Un poquito más...

De pronto, Tom notó que se le resbalaban los dedos del árbol. Intentó sujetarse con los pies, pero era inútil.

Tom empezó a caer. La Búsqueda había finalizado.

«¡Aduro! —pensó Tom—. Aduro, lo siento...»

Pero de pronto, cuando estaba a punto de caer por la ladera, algo le agarró de la pierna y empezó a tirar de él. Tom miró por encima del hombro y vio a *Plata* sujetando con sus fuertes dientes la pernera de sus pantalones.

Tom agarró con fuerza el arco y las flechas y se alejó rodando del borde del cráter con el corazón a mil por hora.

—Gracias, *Plata* —susurró, rodeando con los brazos el fuerte cuello del lobo—. ¿Qué haría sin ti?

Ató el arco y las flechas con una enredadera y se los lanzó a Elena. Sin decir una palabra, Elena sacó las flechas de la aljaba, las puso en el arco y empezó a disparar hacia las paredes del cráter.

Cuando Tom vio dónde iban clavándose las flechas, lo entendió todo. Las flechas habían formado una escalera en la ladera del cráter por la que Elena podría subir hasta ponerse a salvo.

Tom se tumbó y respiró aliviado. La tierra que había bajo su espalda estaba fría. Sabía lo afortunado que era de te-

ner a su lado a una compañera a la que se le ocurrían grandes ideas rápidamente. En cuanto Elena saliera del volcán, se enfrentarían a *Garra*.

Juntos.

CAPÍTULO 7
EL ENFRENTAMIENTO CON LA FIERA

Cuando recuperó la respiración, Tom miró hacia las copas de los árboles. Llevaba el yelmo puesto y vio que *Garra* seguía durmiendo, con los brazos colgando entre las ramas como si fueran gruesas lianas. De momento estaban a salvo, pero no había manera de saber por cuánto tiempo.

Se arrastró de nuevo hasta el borde del cráter y observó a Elena, que subía a la primera flecha. La flecha se dobló bajo su peso y ella casi pierde el equilibrio.

Tom cortó un trozo de enredadera con la espada. Lo ató al tronco de un árbol y le tiró el otro extremo a Elena. Se quedó a mitad de camino. Si Elena conseguía llegar hasta allí, podría arrastrarla con la ayuda de *Plata* y de *Tormenta*.

Elena asintió agradecida al darse cuenta de lo que intentaba hacer. Pero antes tenía que alcanzar la enredadera.

Tom miró con admiración a su amiga, que se agarraba con las manos a la siguiente flecha que tenía por encima de la cabeza y después ponía los pies en la que tenía justo debajo. Hizo lo mismo una y otra vez hasta conseguir llegar a la enredadera. Cada vez que llegaba a la siguiente flecha, estiraba la mano para recuperar la flecha que se había quedado libre por debajo.

Plata corría de un lado a otro por la

boca del volcán. Para alivio de Tom, el lobo parecía haber entendido que no podía hacer ruido.

Muy pronto, Elena llegó hasta la enredadera y se agarró al extremo. Entre Tom, *Plata* y *Tormenta* empezaron a tirar de la liana por un lado del cráter. Tom quería gritar de alegría al tener en su mano la mano cálida de su amiga.

—¡Lo conseguimos! —susurró emocionado mientras los dos lo celebraban en silencio.

¡Volvían a estar juntos!

Pero ahora había llegado el momento de enfrentarse a la Fiera y recuperar la cota de malla.

—Puedo trepar por los árboles —dijo Tom en voz baja— e intentar pillar a *Garra* desprevenido. Es la única ventaja que tenemos.

Elena asintió. Tenía los ojos muy abiertos y una expresión de miedo en la cara.

Tom se acercó a un árbol y se subió para comprobar que aguantaba su peso.

Fue un movimiento equivocado.

El árbol crujió y empezó a moverse. De pronto, ante la mirada horrorizada de Tom, las raíces del árbol se levantaron de la mullida tierra.

—¡Está muerto! —exclamó Elena,

apartándose mientras el árbol se tambaleaba.

Tom cogió la brida de *Tormenta*, Elena agarró a *Plata* por el cuello y todos salieron corriendo para ponerse a salvo mientras el árbol caía al suelo.

El ruido retumbó por toda la Jungla Oscura.

Entonces oyeron un grito desde las copas de los árboles.

Garra se había despertado.

—Acabamos de perder nuestra ventaja —dijo Elena jadeando mientras corrían.

Tom miró con horror cómo la Fiera saltaba de un árbol a otro, gritando y golpeándose el pecho.

—Tengo que enfrentarme a él, Elena —dijo—. Tengo que recuperar la cota de malla.

—Lo sé —contestó Elena tristemente—. ¡Pero ten mucho cuidado!

Tom guardó el yelmo dorado en las alforjas de *Tormenta* y le pasó el escudo a Elena.

—Protégete con él —dijo, poniendo un pie en el árbol más estable que pudo encontrar.

Muy pronto se encontró trepando hacia las copas de los árboles, con la espada colgando de un lado. Por encima de él, *Garra* rugía furiosamente y movía con fuerza la cola. Sujetaba con una de sus zarpas peludas la cota de malla. La Fiera se había dado cuenta de lo que quería Tom.

Tom se escondió entre unas ramas cuando la cola afilada de la Fiera le pasó rozando. Empezó a caer una lluvia de hojas y ramas sobre el suelo de la jungla. El árbol por el que estaba trepando Tom se movió y tembló. Tom subió un

poco más, se protegió detrás una rama y sacó su espada. La blandió con fuerza cuando la garra cruel se volvió a lanzar contra él.

Entonces, en un golpe de suerte, la rama sobre la que estaba subido *Garra* se desprendió del árbol. Chillando, la Fiera cayó entre las hojas en un remolino de pelo y brazos que se movían sin parar y con la cara contorsionada por la rabia.

Pero al caer, rompió la rama de Tom.

A Tom le empezó a latir el corazón a mil por hora al notar que la rama se partía debajo de él. Instintivamente, intentó coger el escudo, sin recordar que se lo había dado a Elena.

Tom cayó detrás del simio gigante, agitando brazos y piernas, y aterrizó en un lecho de ramas rotas.

En el suelo, a tan sólo unos metros de donde estaba Tom, *Garra* se movía salvajemente de lado a lado, rugiendo de rabia y avanzando torpemente hacia el tronco más cercano. En cuanto se subió al árbol, pareció recuperar su fuerza y su agilidad.

Frustrado y agotado, Tom se preparó para seguirlo, pero antes de que se pudiera mover, Elena le sujetó.

—¡Tom! —dijo con los ojos iluminados—. ¿Has visto cómo *Garra* apenas podía andar por el suelo?

—Pensaba que se había hecho daño al caer —dijo Tom mientras miraba hacia las copas de los árboles—. Pero ahora parece más fuerte que nunca. Elena, no sé cómo lo voy a lograr.

—No —dijo Elena—. No estaba herido. Son sus patas encorvadas. Con ellas no puede sujetarse a nada en el suelo. Nunca podrás vencerlo en los árboles, ya hemos visto cómo se balancea entre las ramas, como si tuviera alas. Pero si de alguna manera consigues hacerlo bajar hasta el suelo, la pelea estaría más igualada.

Tom miró hacia la Fiera. Elena tenía razón. Sus garras curvadas eran perfectas para columpiarse entre las copas de los árboles, pero andar por el suelo era otro asunto.

Pero ¿cómo iba a engañar a *Garra* para que bajara hasta el suelo de la jungla? ¡Era imposible!

Tom estaba agotado. Gruñó. Nunca podría conseguirlo él solo.

De pronto, oyó la voz suave de Aduro en su mente: «No pierdas la esperanza, Tom. ¿Acaso has olvidado que tienes ayuda?».

«¡Es verdad! —pensó—. No estoy solo. Tengo a las Fieras de Avantia de mi lado.»

Sin la ayuda de *Sepron*, la Serpiente marina, Tom sabía que nunca hubiera podido recuperar el yelmo dorado de *Zepha*, el Calamar monstruoso. Había llegado el momento de pedir ayuda a otra Fiera. Y Tom sabía exactamente a quién necesitaban esta vez. La idea le animaba y le aterrorizaba al mismo tiempo ya que ésta era la Fiera más poderosa de toda Avantia.

Ferno, el Dragón de fuego.

CAPÍTULO 8

FERNO REGRESA

Tom cogió el escudo que tenía Elena y rápidamente frotó la escama del dragón que estaba incrustada en la superficie. Sintió una ola de emoción al oír el rugido de *Ferno* que hizo que el aire se caldeara. El cielo se iluminó. Las criaturas que normalmente vivían en la oscuridad de la selva chillaron de miedo y salieron disparadas.

El poderoso dragón de Avantia voló sobre las copas de los árboles de la jungla, moviendo con fuerza las alas y con un brillo en los ojos que resaltaban sobre su cara negra como el carbón.

Emocionados al ver a su viejo amigo, Elena y Tom observaron cómo la jungla se empezaba a llenar de humo. El aire se volvió oscuro. Las ramas empezaron a crujir y los árboles explotaban.

¡*Garra* se estaba ahumando!

La Fiera gritaba desafiante al dragón. Con un brazo, se columpiaba de rama en rama mientras que con el otro se golpeaba el pecho. Pero eran aspavientos inútiles. *Ferno* volvió a pasar volando. Las llamas brillaban en sus pulidas escamas. *Garra* aullaba y huía entre las copas de los árboles.

Ferno voló por encima del Simio gigante, siguiendo sus movimientos entre las ramas. La cola del dragón golpeaba los árboles haciendo que cayeran y se cruzaran en el camino del Simio gigan-

te. Unos loros salieron volando y chillando por los aires; sus colores estaban apagados por el humo. Por todas partes había árboles en llamas.

—¡Bravo, *Ferno*! —gritó Elena.

Tom esperaba con todo su corazón que el dragón consiguiera su objetivo.

Garra no podría seguir peleando durante mucho más tiempo. Jadeaba intensamente y luchaba por respirar. Levantó sus garras curvas sobre la cabeza, luchando inútilmente contra el humo. Había humo por todas partes, envolviendo y cubriendo todo el cielo. El único lugar libre de humo era el suelo de la jungla. Desesperado, *Garra* bajó a tierra gruñendo.

En cuanto la Fiera descendió, Tom la atacó. *Garra* se tambaleó e intentó huir, pero sus patas no eran lo suficientemente rápidas. Tom lo persiguió saltando entre las hojas. La Fiera daba saltos torpes, tropezando y gruñendo.

Elena le lanzó unas cuantas flechas. *Garra* aulló de dolor.

—¡Vamos, *Plata*! —gritó.

El lobo le empezó a morder las patas a la Fiera en un remolino de pelo plateado, y *Tormenta* se sumó a la batalla con sus fuertes y letales cascos.

Con la ayuda de sus amigos, Tom acortó la distancia que había entre él y la Fiera.

Garra estaba acorralado.

El mono gigante echó sus espantosos labios hacia atrás. La imagen de sus dientes amarillos y podridos era aterradora. Tom blandió la espada con fuerza, apuntando a la cota de malla que le colgaba del cuello a la Fiera. Tenía que recuperarla como fuera.

Pero *Garra* no estaba tan indefenso. Su gran cola se movió y, de un golpe, despidió a Tom por los aires. El chico lo volvió a intentar y, una vez más, la cola de la Fiera lo lanzó hacia atrás. Tom intentaba llegar a la cota de malla, pero no tenía manera de alcanzarla.

Tom estaba desesperado. Tenía que distraer a la Fiera de alguna manera. Silbó para llamar a *Tormenta*. Cuando el caballo apareció entre la vegetación,

Garra retrocedió y Tom aprovechó la oportunidad. Se acercó corriendo y se subió a una rama para ponerse a la altura del cuello de la Fiera. Entonces, en un abrir y cerrar de ojos, pasó la punta de su espada por el cierre de la cota de malla y tiró. Consiguió dejarlo medio abierto.

La Fiera volvió a clavar su mirada en Tom y se lanzó hacia él, rodeándole la cintura con la cola. Tom miró la cara espantosa de la Fiera mientras ésta lo levantaba por los aires. Cuanto más luchaba Tom, más le apretaba la cola. Notó que le estaba aplastando las vísceras. Tenía el brazo con el que sujetaba la espada pegado al cuerpo, así que su arma no le valía para nada. La Fiera se preparó para volver a subirse a uno de los árboles que todavía no estaba en llamas.

—¡No! —gritó Tom, desesperado.

Entonces oyó que *Tormenta* lanzaba

un gran relincho. Tom se dio la vuelta y
vio a Elena galopando con el caballo
negro hacia ellos. Llevaba una rama afilada en la mano. Apuntó la punta afilada de la rama hacia *Garra* y la lanzó
como si fuera una jabalina. Dio justo en
la cerradura que sujetaba la cota de ma-

lla y que estaba medio abierta, y consiguió abrirla un poco más.

La cola de *Garra* soltó momentáneamente a Tom y éste aprovechó para escaparse. Se tiró al suelo de la jungla, intentando recuperar desesperadamente el aliento. No había tiempo para comprobar si estaba herido. Cada segundo contaba.

Garra había vuelto a bajarse de los árboles. Le lanzó un grito a Tom, mientras movía por los aires su peligrosa cola.

—*¡Ferno!* —gritó Tom desesperado, sujetando el escudo por encima de la cabeza.

La gigantesca cabeza escamosa del dragón de fuego apareció mientras bajaba en picado entre los árboles. Tom notó que tenía los ojos inyectados en sangre. *Ferno* lanzó una llamarada por la boca que rebotó en el escudo y fue hasta *Garra*.

Como un rayo, el Simio gigante levantó la cola y retrocedió de un salto, gritando de miedo, mientras las llamas de *Ferno* consumían el suelo que tenía delante. A su alrededor, los árboles ardían incesantemente. El escudo protegía a Tom del calor, pero tanto él como sus amigos se iban a ahogar muy pronto por el humo.

—¡Otra vez, *Ferno*! —ordenó Tom. Los ojos le picaban y le lloraban por el espeso humo gris.

Ferno rugió y soltó otra llamarada brillante. Tom casi se cae hacia atrás por la fuerza de la llama al chocar contra el escudo y cambiar de dirección hacia *Garra*.

CAPÍTULO 9

VICTORIA

Garra chillaba y se alejaba de las llamas. No le quedaba ningún lugar adonde ir. Todos los árboles que tenía a su alrededor estaban en llamas, enviando grandes bocanadas de humo hacia el cielo. La Fiera cayó de rodillas. Tom se lanzó sobre su cuello y terminó de abrir la cerradura. Por fin, la cota de malla se precipitó al suelo.

El rugido de *Ferno* hizo temblar la jungla. Una última columna de fuego, tan

ancha como el tronco de un árbol, se levantó del suelo, escondiendo a *Garra* detrás de una nube negra y espesa de humo.

Dolorido, Tom volvió a coger la espada y se preparó para proteger todo aquello que quería.

El humo empezó a desaparecer. En el lugar donde había estado el inmenso cuerpo de *Garra* surgió algo delante mismo de los ojos de Tom.

Un grupo de monos pequeños y nerviosos estaban acurrucados en el suelo. Daban chillidos, se subían a las ramas más bajas de los árboles que no se habían quemado y se limpiaban felizmente unos a otros.

¿Dónde se había metido la Fiera?

Elena estaba tan confundida como Tom, que seguía observando el espacio vacío donde *Garra* había estado unos segundos antes. Después miró de nuevo al lugar donde estaban los monos. Nunca antes había visto algo así.

Se dejó caer de rodillas, con los pulmones de pronto en carne viva. Todo había acabado. Oyó la débil voz de Elena.

—¡Tom! —llamó—. ¡Tom, lo conseguiste!

Ferno soltó un chillido agudo. Tom miró hacia arriba. El dragón movía sus inmensas alas por encima de los restos quemados de la Jungla Oscura.

—Gracias, *Ferno* —susurró.

El dragón volvió a chillar, emitiendo un sonido dulce, pero feroz, que Tom sabía que nunca olvidaría. Mientras Tom lo miraba, salió volando. Muy pronto, *Ferno* no fue más que un pequeño punto negro en la distancia.

Lo siguiente que vio Tom fue la cara de Elena, sonriendo y brillando por el triunfo.

—¡La cota de malla, Tom! —dijo—. ¡La tienes!

Tom se puso en pie lentamente y se acercó dando tumbos hasta la cota dorada de malla, la segunda pieza de la preciosa armadura. Era cálida al tacto. La levantó, casi inclinándose por el peso. Durante un momento le entró una sensación de pánico. Pesaba demasiado. No sería capaz de levantarla por encima de los hombros.

Pero al hacerlo, los eslabones se pusieron en su sitio. Inmediatamente,

Tom notó un pulso mágico en el pecho y la cota de malla pasó a ser más ligera que una pluma. Sus músculos cansados volvieron a recuperar la energía. Se sentía valiente como un león.

Miró a Elena, que estaba de pie en el claro con *Tormenta* y *Plata*.

—Más fuerza para el corazón —murmuró, acariciando la cota de malla—. El yelmo hace que pueda ver mejor, y la cota de malla hace que me sienta como si pudiera enfrentarme a cualquier batalla. Ahora mismo podría luchar contra diez nuevas Fieras, Elena. ¡O contra veinte!

Elena sonrió.

—¡Buen trabajo, Tom!

—Nunca se me hubiera ocurrido llamar a *Ferno* si tú no me hubieras dicho que *Garra* no podía luchar en el suelo —admitió Tom.

—Oye —dijo Elena contenta—, yo ya sabía que era el cerebro de este equipo.

Tormenta relinchó suavemente y le empujó la mano a Tom. Tom acarició el polvoriento lomo negro del caballo mientras *Plata* jadeaba a los pies de Elena.

Entonces Tom se quitó la cota de malla y la puso con mucho cuidado sobre el lomo de *Tormenta*. El cansancio volvió a sus músculos.

—Ahora podría dormir durante una semana seguida —dijo—. Pero todavía tenemos que recuperar las otras piezas de la armadura y vencer a las otras Fieras. Y Aduro...

Su voz se apagó. Elena le miró seriamente. ¿Seguiría con vida el brujo del rey Hugo? ¿Estaría resistiendo el maleficio de Malvel?

—Tenemos que irnos de aquí —dijo Tom—. Tenemos que terminar esta Búsqueda cuanto antes para rescatar a Aduro.

Emprendieron de nuevo su camino y

se fueron por donde habían llegado. Ahora todo parecía diferente, ennegrecido y retorcido por la fuerza de las llamas de *Ferno*.

Pronto llegaron a la zona espesa de árboles verdes en el corazón de la Jungla Oscura. Las llamas de Ferno no habían llegado a esta parte. Avanzaban lentamente entre el laberinto de plantas y enredaderas. Los monos, pequeños e inofensivos, chillaban y se columpiaban por las ramas de encima.

—Ten cuidado con las serpientes —avisó Tom a Elena recordando la serpiente que casi le mata—. Están por todas partes.

De pronto, el aire se hizo más espeso y extraño.

—Vas a tener que tener cuidado con otras cosas —dijo una voz burlona.

Tom se quedó sin aliento. Puso la mano en la espada cuando la imagen

brillante de Malvel apareció entre las copas de los árboles.

—¡Ya tenemos dos piezas de la armadura dorada, Malvel! —gritó Tom, amenazante—. ¡Hemos vencido a *Garra*! No tardaremos mucho en encontrarte y rescatar a Aduro, y entonces ya no podrás hacer nada.

—No te sentirás tan seguro cuando conozcas a la siguiente Fiera despiadada, *Soltra* —aseguró Malvel.

—¿Dónde está Aduro? —exigió Tom.

Malvel soltó una carcajada que retumbó por toda la jungla. Su imagen desapareció. En su lugar, Tom vio el gran cráter de la jungla que habían dejado atrás. Entre los huesos blancos de animales había un trozo de tela roja.

—La capa de Aduro es roja —dijo Elena, con rabia en su voz—. ¿Qué has hecho con él, Malvel? Como le hayas hecho daño...

La risa de Malvel volvió a llenar el aire mientras la imagen se desvanecía. Tom notó que algo le rozaba. Se volvió, pero no pudo ver nada.

—Buena suerte —le susurró la voz de Malvel al oído. Su voz era como el tacto frío del ala de un murciélago—. A ti y a tu equipo de mamarrachos. Cuando veas lo que te espera en esta Búsqueda, la necesitarás...

Tom empuñó la espada y notó el reconfortante peso del escudo en la espalda. Recordó que tenía el yelmo dorado en las alforjas de *Tormenta* y echó un vistazo para comprobar que la cota de malla seguía encima del ancho lomo del caballo. No estaban solos. Las Fieras de Avantia estaban de su lado y con cada Fiera malvada que vencía, recuperaba otra pieza de la preciosa armadura. Su poder cada vez era mayor.

—¡Estaremos listos! —prometió, blandiendo la espada en el aire—. Cueste lo que cueste, Malvel, mientras corra la sangre por mis venas, ¡te venceremos!

Acompaña a Tom en su nueva
aventura de *Buscafieras*

Enfréntate a

SOLTRA,
LA ENCANTADORA
DE PIEDRAS

¿Podrán Tom y Elena recuperar todas
las piezas de la armadura dorada y
salvar Avantia?

PRÓLOGO

Había sido un día muy largo para el granjero. Araba la tierra con sus dos bueyes y el sudor le caía por el cuello al guiar el pesado arado por el suelo.

El sol se estaba poniendo por encima de la ciénaga situada al oeste de la granja. El granjero miró hacia arriba, frunció el ceño y se llevó el brazo a la frente para limpiarse el sudor. Una niebla espesa empezaba a cubrir la ciénaga, que estaba al otro lado del campo de cultivo. Era poco habitual que la niebla fuera tan densa en aquella época del año.

Temblando un poco, desató a los bueyes y los empezó a llevar de vuelta al establo. Normalmente, al final del día, los animales estaban deseando comer, pero, esta vez, el granjero apenas podía hacer que se movieran. Desató el arnés de cuero y frunció el ceño de nuevo. El arnés estaba congelado. Se dio la vuelta. Los dos bueyes se habían quedado inmóviles.

—¿Qué pasa, muchachos? —preguntó acercándose a los animales. Los rodeaban unos tentáculos de niebla que los dejaban aislados de la granja. Acarició el cuello de uno de los bueyes y se quedó sin aliento. En lugar de la piel suave y cálida, su mano se encontró con una superficie fría y dura.

¡Los dos animales se habían convertido en piedra!

Mientras miraba los grandes ojos marrones del

buey, que seguían moviéndose y tenían una expresión de pánico, vio una silueta lechosa, una sombra que se reflejaba en ellos. Algo o alguien estaba justo detrás de él.

Se dio la vuelta y dio un grito de terror al ver una figura femenina que había salido del corazón de la niebla. El sol brillaba por detrás de ella.

La mujer le sacaba dos cabezas y tenía el cuerpo envuelto en una túnica fina y brillante, como si fuera una capa hecha de aguas negras. La miró a la cara, pero se dio cuenta de que la mujer no tenía cara, sólo un rostro sin facciones, suave como el mármol y blanco como la leche.

Entonces vino lo peor.

El rostro de la mujer se abrió como si fuera un párpado gigante y por debajo del párpado apareció un ojo inmenso, verde y claro como una esmeralda.

El granjero se quedó mirando el ojo, que no parpadeaba, y de pronto notó que su miedo se iba desvaneciendo.

—Preciosa —dijo—. Es... preciosa...

Dio un paso hacia la mujer.

Ella levantó un brazo y le extendió una mano. El granjero la cogió. Ahora estaba lo suficientemente cerca como para ver su propio reflejo en el gran ojo verde. Las venas del hombre se llenaron de cristales de hielo, que le entumecieron los brazos y le congelaron el corazón.

Unos momentos más tarde, al igual que los bueyes, el granjero ya sólo podía mover los ojos. Su cuerpo se había convertido en piedra.

La mujer dio media vuelta; su silueta ondulaba al adentrarse de nuevo en la niebla.

Al poco tiempo, el granjero vio un movimiento con el rabillo del ojo. Un niño estaba acurrucado y muerto de miedo detrás de una pared de piedra que marcaba el límite de la propiedad. Intentó llamarlo para decirle que fuera a buscar ayuda, pero el único sonido que salió de su garganta fue un gruñido.

Aterrorizado, el niño salió corriendo hacia el pueblo.

La niebla rodeó al granjero por los hombros, como si fuera un velo.

¿Cuánto tiempo tardaría en morir?

CAPÍTULO 1

VUELTA A CASA

—¡Por fin! —exclamó Tom abriéndose paso entre las ramas y saliendo a campo abierto.

—¡Gracias a Dios! —dijo Elena desde atrás—. Estaba empezando a pensar que la Jungla Oscura no se iba a acabar nunca.

Salieron al frío del atardecer, agotados y contentos de haber dejado atrás aquel calor oscuro y pegajoso.

Por delante de ellos, la tierra bajaba formando terrazas de hierba hasta un ancho río sinuoso que se precipitaba a través de profundos bancos de piedra.

Tom echó un último vistazo a la siniestra jungla y recordó su batalla con *Garra*, el Simio gigante, y cómo había conseguido quitarle la cota dorada de malla a la malvada Fiera.

Plata, el fiel lobo de Elena, y *Tormenta*, el valeroso caballo de Tom, también salieron de la jungla. *Plata* daba saltos y ladridos de alegría, y *Tormenta* relinchaba y subía las patas.

—Están felices de volver a un espacio abierto —dijo Elena—. ¿Qué te parece si acampamos cerca del río para pasar la noche? Así yo podría pescar algo para la cena.

Tom la miró pensativo y suspiró.

—¿Qué ocurre? —preguntó Elena.

—Estaba pensando en Aduro —contestó—. Me preocupa lo que Malvel le haya podido hacer.

El Brujo Oscuro había raptado a su amigo y protector, Aduro, el Brujo bueno. Malvel se les había aparecido en una visión después de que Tom venciera a *Garra*, y les había enseñado un jirón de tela de la capa roja de Aduro. ¿Seguiría el buen brujo con vida?

Pasara lo que pasara, Tom sabía que todavía tenía que completar su Búsqueda y recuperar las seis piezas de la armadura dorada que Malvel había robado y esparcido por todo el reino. Aduro les había dicho que ésa era la única manera de rescatarlo. Si no lo conseguían, Avantia nunca estaría a salvo de las seis Fieras malvadas que había soltado Malvel.

Los dos chicos y sus animales llegaron hasta el río. El valle terminaba en una playa de terrazo.

Tom vio cómo Elena se metía en el agua con una flecha dispuesta en el arco. Después de esperar un buen rato, Elena disparó la flecha y, un momento más tarde, salía salpicando a la orilla con un salmón grande. Lo puso en una roca y volvió al río para seguir pescando.

Plata olisqueó el pescado, pero movió su peluda cabeza y salió trotando. Tom supuso que había ido a buscar algo que le gustara más. *Tormenta* pacía tranquilamente en la hierba.

Tom estaba cansado y añoraba su pueblo al mirar la corriente del río y pensar lo diferente que era del ancho lago que había en su pueblo de Errinel. No había estado allí en mucho tiempo.

Se quitó esos pensamientos de la cabeza y empezó a buscar leña. Después hizo una hoguera. Formó dos trípodes con ramas y pinchó el salmón con un palo para colgarlo encima de las llamas. Muy pronto Elena volvió con dos pescados más.

Estaba anocheciendo mientras se asaba el pescado. Cuando por fin se pusieron a comer, Tom le empezó a contar a Elena cosas de su pueblo.

—El agua del lago es clara como el cristal —dijo—. Durante las tardes de verano, todos van a la orilla a comer, tocar música y mirar la puesta de sol.

—Suena muy bien —dijo Elena dando un bocado al salmón.

—La gente dice que el agua tiene poderes curativos —siguió Tom, mirando al cielo, cada vez más oscuro—. Para que funcione, hay que recogerla durante la puesta de sol. —Se rió—. Son sólo leyendas —dijo—. Seguro que no es verdad.

—En cualquier caso, es una buena historia —dijo Elena—. Y después de todo lo que hemos visto, ¿quién sabe lo que es verdad y lo que no? La mayoría de la gente piensa que las Fieras son sólo un mito, pero nosotros sabemos que no es así.

Después de cenar, Tom y Elena fueron a ver cómo estaban sus animales. *Plata* tenía la cabeza apoyada en las patas y roncaba suavemente. *Tormenta* estaba cerca de él, dormitando tranquilo.

Los dos amigos encontraron un lugar para extender sus sacos de dormir y pasar la noche. Las piezas de la armadura que había recuperado Tom estaban a su lado. El yelmo dorado, tallado en forma de cabeza de águila, brillaba suavemente bajo la luz de las estrellas. Se estiró para tocar la cota de malla y pensó en el Maestro de las Fieras, que la había usado antes que él. Entonces pensó en su propio padre, Taladón *el Rápido*, que había emprendido su propia Búsqueda de Fieras hacía muchos años, pero había desaparecido.

«Ojalá lo hubiera conocido», pensó medio dormido. Esperaba que algún día volverían a reunirse.

El día siguiente amaneció claro y cálido. El sol se alzaba en el cielo azul. Tom desenrolló el mapa que le había dado Aduro en sus primeras aventuras.

Al estudiarlo, cobró vida. Las praderas se movían con el viento y las pequeñas montañas estaban frías al tacto. Los bosques y los ríos, los pueblos y los castillos, todo era una miniatura del paisaje real de Avantia.

Normalmente, en el plano aparecía un camino rojo y brillante que le indicaba a Tom dónde encontraría su siguiente reto, pero de momento no había ni rastro de él.

—¡Ahí! —exclamó Elena después de haber estado observando el mapa durante un buen rato.

Un pequeño punto de luz dorada empezó a brillar

en el planisferio. Tom y Elena observaron cómo el punto latía y se hacía cada vez más grande hasta tener forma de un peto dorado.

—¡Es la siguiente pieza de la armadura! —dijo Elena.

Tom soltó un grito de emoción.

—¡Sí! —dijo—. ¡Y mira dónde está! Señaló hacia un lago ancho y claro cerca de las praderas. Al lado del lago había un pequeño pueblo—. Es Errinel, ¡mi pueblo! Vas a conocer a mi tío Henry y a mi tía María, que fueron quienes me criaron. —Tom notó que se le llenaban los ojos de lágrimas—. No los he visto desde que empecé las Búsquedas —dijo.

Un gran hocico le olisqueó la oreja. Era *Plata*. Le brillaban los ojos comprensivamente. Tom se volvió con una sonrisa. *Tormenta* estaba cerca, pateando el terrazo con el casco.

—¡Con nosotros no puedes esconder tus sentimientos! —dijo Elena riéndose—. Sabemos las ganas que tienes de volver a tu casa. Vamos, tenemos que recoger el campamento y ponernos en camino.

—¡Sí! —Tom se rió—. ¡Y no pararemos hasta que lleguemos a Errinel!

Pero su risa pronto se desvaneció al pensar en la Búsqueda y los peligros que les esperaban. Tenía que llegar a Errinel cuanto antes, pero ¿qué tipo de Fiera les estaría esperando?

¿Y qué daños habría ocasionado ya a su pueblo y a su familia?

¡Consigue la camiseta exclusiva de BUSCAFIERAS!

Sólo tienes que rellenar **4 formularios** como los que encontrarás al pie de esta página, de **4 títulos distintos** de la colección Buscafieras. Envíanoslos a EDITORIAL PLANETA, S. A., Área Infantil y Juvenil, Departamento de Marketing (BUSCAFIERAS), Avda. Diagonal, 662-664, 6.ª planta, 08034 Barcelona.

Promoción válida para las 1.000 primeras cartas recibidas.

✂

Nombre del niño/niña: ....

Dirección: ....

Población: .... Código postal: ....

Teléfono: .... E-mail: ....

Nombre del padre/madre/tutor: ....

☐ Autorizo a mi hijo/hija a participar en esta promoción.

☐ Autorizo a Editorial Planeta, S. A. a enviar información sobre sus libros y/o promociones.

Firma del padre/madre/tutor:

BUSCAFIERAS
Nº 8
PRUEBA DE COMPRA